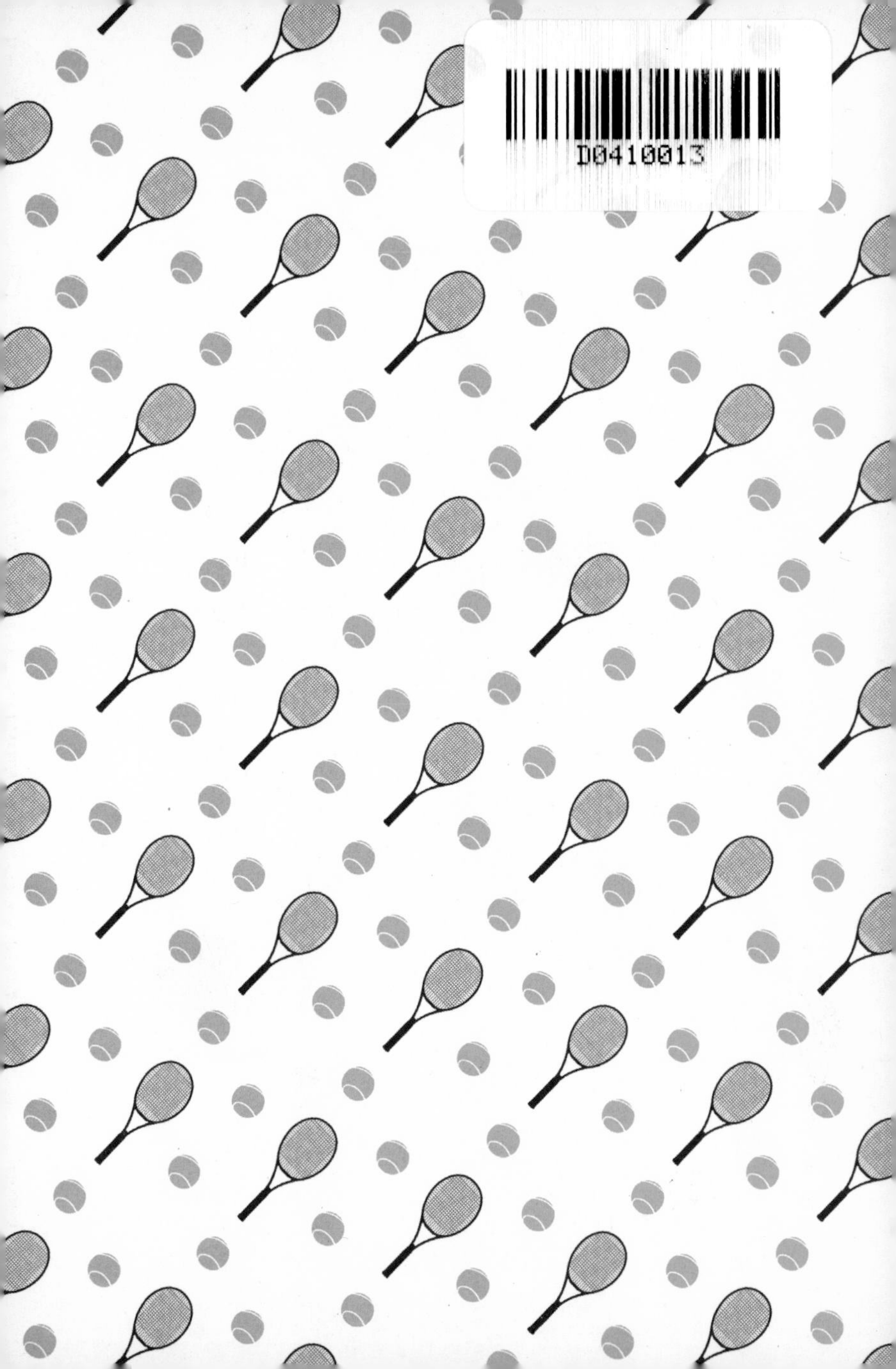

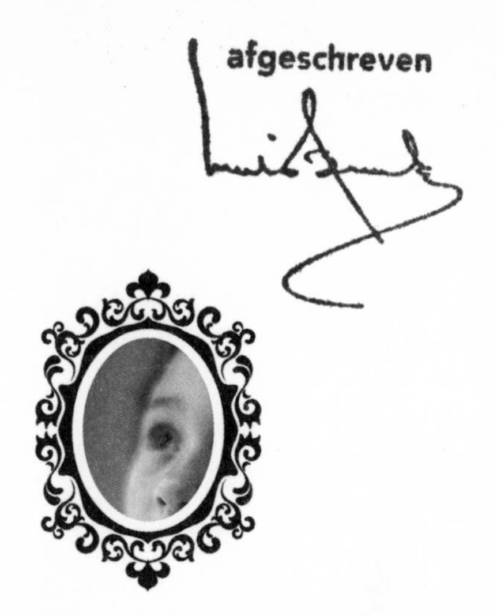

Zie me dan!

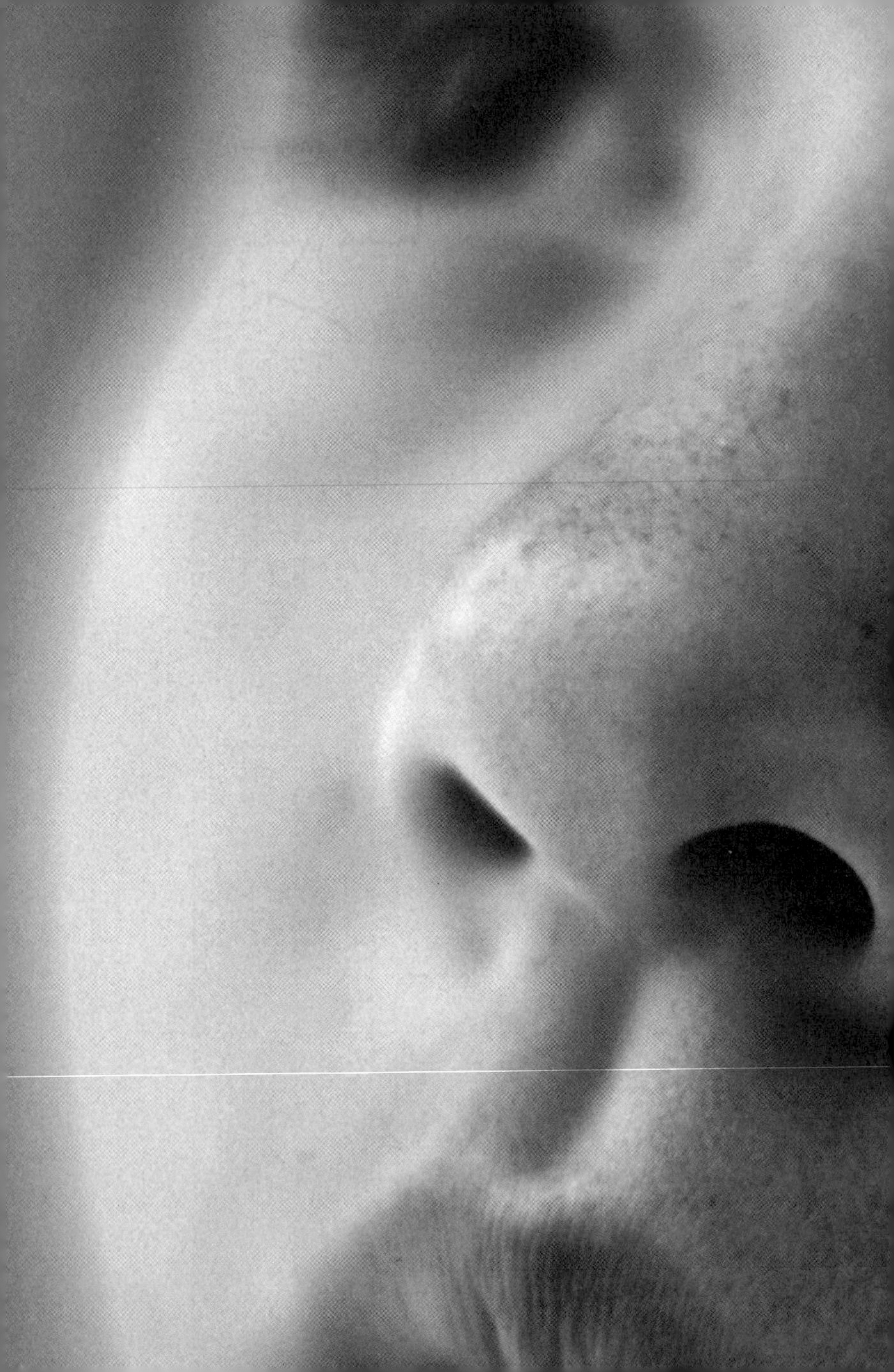

INGE BERGH

Zie me dan!

DE EENHOORN

‘Ouders begrijpen
nooit iets uit zichzelf,
en voor kinderen is het vervelend
hen altijd weer alles uit
te moeten leggen.’

Antoine de Saint-Exupéry

1.

De knal schrikt alle vogels in de straat op en doet mijn trommelvliezen wapperen. Geen seconde later volgt een – zo mogelijk – nog luidere knal.
Mijn vader heeft zijn portier nog maar dichtgemept of hij staat al te schreeuwen.
'Ik had je gewaarschuwd dat ik het niet zou halen!'
Het klikken van mijn moeders schoenen stopt. Haar hoge hakken krassen over het blauwsteen van de drempel. Ze wringt haar sleutel in het slot en bonkt de deur open.
Even denk ik dat ze zich zal omdraaien.
Ze doet het niet. Ze kijkt niet om. Anders had ze me misschien zien staan. Hoofd tussen de schouders, starend naar de grond. De dure sporttas aan mijn voeten. De sporttas, die vandaag niet open is geweest. Mijn frisgewassen tennispakje zit er nog in, netjes opgevouwen en geurend naar lentebries. Hoewel ik het veld niet op ben geweest vandaag, voelt het toch of al mijn spieren verzuurd zijn. Alles in mijn lichaam lijkt verkrampt.
Mijn vader stampvoet over de oprit en stopt zijn

voet tussen de deur, voor mijn moeder die in zijn gezicht kan dichtsmakken.
'Het is elke keer hetzelfde liedje!' buldert hij.
Ik sluit mijn oren voor de bons die onvermijdelijk volgt en doe mijn best om niet klauwend van ellende al mijn haar uit te trekken.
Ze zien het niet.
Ze zien het nooit.

2.

Het is niet te geloven, zoals ze daar tegenover elkaar staan.
Zij, priemend met haar wijsvinger, zodat ze bijna zijn halve gezicht openhaalt met haar roodgelakte nagel.
Hij, met zijn rug tegen de koelkast, zwaaiend met zijn armen, tevergeefs op zoek naar een verdediging.
Ik had het kunnen weten. Hoe kon ik zo stom zijn? Ging het alle vorige keren niet net zo?
Hoe kwam ik er in godsnaam bij om hen te vragen mij vandaag naar die finale te brengen? Ik had mee kunnen rijden met de buren, met de trainer desnoods. Maar nee, ik wilde per se dat ZIJ erbij waren. Dat ze me zagen spelen. Ik wou zo graag dat ze ook eens in de tribune zaten. Dat ze me naar de overwinning schreeuwden en als gekken voor me juichten. Dat ze me troostten als ik toch zou verliezen.
Ze zouden het regelen, beloofden ze. Desnoods zou de een me brengen, en kwam de ander me halen.

Geen probleem. Voor één keer zouden ze wel wat vroeger stoppen met werken.
Ik had het kunnen weten. Ik had het verdomme kunnen weten!
Het komt altijd op hetzelfde neer: ze maken mooie beloftes, maar vergeten die net zo snel weer. En ik zit keer op keer met de gebakken peren.
Net als altijd eindigt het vandaag ook weer in een robbertje 'ik-heb-het-drukker-dan-jij-en-ik-draai-altijd-voor-het-kind-op!'
Dat ik mijn finale niet heb kunnen spelen, en daardoor uit de competitie lig, is niet belangrijk. Deze ruzie gaat allang niet meer om mij.
Het gaat nooit om mij.

3.

Ik heb zo hard getraind voor die finale. Wekenlang bracht ik bijna elke avond en elke woensdagmiddag door op het tennisveld. Mijn lievelingsserie op televisie, uitjes met vriendinnen, boeken die ik nog wilde lezen ... alles moest wijken. Steeds opnieuw oefende ik mijn forehand. Tot die helemaal perfect was. Ik sloeg mijn ballen nog nooit zo hard en precies. Elke ochtend liep ik trouw mijn rondjes op het sportveld van de school. Voor schooltijd. Zelfs als het regende. Ik was fit. Wat zeg ik? Ik was in topvorm! Ik was klaar om te winnen ...
Mijn ouders kibbelen nog steeds.
Mij zien ze nog altijd niet staan.
In tranen ren ik de trap op naar mijn kamer.
Ik ruk mijn sporttas open en gooi de tennisspullen eruit. De ballen kaatsen alle kanten uit. Mijn dure racket keil ik erachteraan. Het botst tegen de muur en landt terug voor mijn voeten. Woest trap ik het onder mijn bed. Mijn sportschoenen met speciale tussenzool – voor schokabsorptie – hou ik voor het laatst. Ik ruk mijn kamerdeur open en keil ze over

de trapleuning recht de kristallen luchter in.
Het ding zwaait vervaarlijk, spuugt rinkelend prisma's over het behang, maar blijft hangen. Pas wanneer ik ook mijn sporttas ertegenaan mik, vallen er een paar kristallen naar beneden. Ze stuiteren over het parket en breken. Het lucht maar een klein beetje op.
Ik maak een hels kabaal, maar niemand komt kijken. Niemand die zich afvraagt wat er aan de hand is. Ze hebben het veel te druk met ruziemaken.
Te druk om zich om mij te bekommeren.
Maar dit was de laatste keer.
Dat zweer ik.

4.

Het is vrijdagochtend.
Mijn ouders zijn gaan werken. Nog een half uur en de lessen beginnen.
Maar ik ga niet naar school vandaag. Ik heb vanaf mijn moeders laptop de school een mailtje gestuurd.

Aafke is vanochtend opgestaan met buikkrampen en koorts. Ik hou haar vandaag liever thuis.
Hartelijke groet,
Rosemarie Huys.

In de keuken prop ik mijn rugzak vol: twee flessen water, een pak chocoladerepen, zes boterhammen, twee appels, een banaan, mijn lievelingsboek, en een slaapzak. In de gang liggen mijn kussen en een kampeermatje al klaar. Ik pak nog snel een zaklamp uit de kast en prop ze in mijn broekzak. In de berging zoek ik de nachtemmer, die ik als kleuter op mijn kamer had staan.
Even twijfel ik. Is dit wel een verstandig plan? Overdrijf ik niet een beetje? Dan zie ik mijn sport-

schoenen die nog steeds in de luchter bengelen. De sporttas is wel opgeruimd.
Ik zwaai de rugzak over mijn schouders en loop de gang door.
Wat zullen ze het eerst opmerken? De schoenen in de luchter, of de verdwijning van hun dochter?
Even overweeg ik om een briefje te schrijven.
Dan bedenk ik me.
Straks komt Annabelle poetsen. Als zij mijn briefje vindt, staat het hele huis in rep en roer nog voor mijn ouders thuis zijn. Ik wil dat mijn ouders zelf ontdekken dat ik er niet meer ben.
Het is nu kwart na acht.
Ik heb nog maar een uur de tijd.
Als ik dit wil doorzetten, moet ik voortmaken!
Gehaast pak ik mijn spullen en verdwijn.

5.

Ik sta huiverend bovenaan de keldertrap en schijn met mijn zaklamp de donkere ruimte in. De bundel geel licht tast de vloer en muren af, steeds dieper, steeds verder, tot ze wordt opgeslokt door het duister. De kelder lijkt wel een bodemloze put, het duister een monster, klaar om me te verslinden.

Ik weet dat het belachelijk is. Dat deze kelder gewoon een kamer is als een andere kamer. Alleen wat minder fraai dan. Het ruikt er muf, er ligt een berg stof en je kunt er amper rechtop staan. Over de tientallen spinnen die er huizen wil ik niet eens nadenken. Spoken of gekwelde geesten uit een ver verleden zul je hier niet vinden. Ik ben niet stom.

En toch ...

Met tegenzin zet ik mijn voet een trede lager. Kreunend valt de deur achter me dicht.

Ik weet dat naast me op de muur een lichtschakelaar zit, maar die kan ik nu niet gebruiken. Beneden kan ik het licht niet meer uitdoen. Er is maar één schakelaar. Ik wil geen sporen achterlaten.

Ik moet dus in het donker de kelder in, ook al doe

ik het dan bijna in mijn broek. Als ik wraak wil, moet ik nu doorzetten.
Voorzichtig stap ik nog een trede lager. Ik klem mijn zaklamp zo stevig vast dat mijn knokkels er wit van worden. Mijn hart geeft een drumsolo ten beste.
Kalm blijven. Ik moet kalm blijven.
Denk aan je plan, herhaal ik als in een mantra.
Denk aan morgen!
Het helpt.
Trede na trede daal ik de trap verder af.
Eindelijk sta ik beneden. Ik haal diep adem.
'Goed gedaan,' geef ik mezelf een schouderklopje, en ik doe mijn best om niet gillend de trap weer op te rennen. Met mijn zaklamp schijn ik door de krappe ruimte.
Hier kom ik nooit. Toch niet als het niet echt moet. Zeker niet in het pikdonker.
Maar nu heb ik geen keus. Dit is de enige plek waar ze me nooit zullen zoeken. De enige plek in huis waar ik ongemerkt het doen en laten van mijn ouders kan volgen. Dat is net het geniale van mijn plan.
Ik wil op de eerste rij zitten wanneer ze straks ontdekken dat ik ben verdwenen!

6.

Het is niet eenvoudig om in deze kelder een geschikte schuilplaats te vinden. De krappe ruimte is jammer genoeg heel ordelijk ingericht, met rekken tegen de wanden, en alleen op het einde een oude kast. Even denk ik dat het hopeloos is. In deze rotkelder kan een muis zich niet eens verstoppen.
Maar net wanneer ik mijn plannetje in rook zie opgaan, vangt mijn blik iets. Boven de kast maakt het plafond een welving. Daardoor staat de kast een stuk van de muur af. Als ik daar nu eens tussen zou passen ...
Met de zaklamp tussen mijn tanden sleur ik een oude kist uit de weg. Ik wurm me tussen een rek en de kast.
Yes!
Mijn hart maakt een sprongetje.
Achter het oude meubel is net genoeg plaats om mijn matje uit te rollen en mijn nachtemmer neer te zetten. Er zit zelfs een kleine nis in de muur.

7.

Ik heb kramp in mijn kuiten. Ik probeer mijn benen te strekken en met mijn tenen te wiebelen, maar de ruimte is te krap. Zelfs als ik mijn rug helemaal tegen de muur druk, lukt het me niet. De harde korreltjes op de ruwe keldervloer prikken gemeen door de stof van mijn broek heen. Ik haal mijn hand open bij mijn pogingen om de zware kist terug op zijn plaats te zetten. Ik wil mijn longen kwaad vol lucht persen en eens goed schreeuwen. Maar ik doe het niet. Het is te gevaarlijk. Als iemand me hoort, valt mijn hele plan in duigen. Bovendien snijdt de muffe lucht me de adem af.
Geërgerd prop ik de zak met mijn kussen, deken en proviand in de nis in de muur. Om mijn hand hecht zich een kleverig web. Een spin schiet er schichtig vandoor. Nog voor ik haar kan vangen in het gele licht van mijn zaklamp, voel ik haar poten kriebelen over mijn arm.
'Gatver!'
Ik ruk mijn hand uit het gat en bons met mijn elleboog hard tegen de kist, die nu de uitgang van mijn

‘hol’ blokkeert. Een scherpe pijn vlamt door mijn arm heen. De tranen schieten me in de ogen. Ik verbijt ze. Ik verbijt ze zo hard dat mijn tanden ervan knarsen. Ik mag niet huilen. Ik zal niet huilen!

Niet om de felle steek, die nog altijd door mijn arm jaagt. En vooral niet om de zeurende pijn die zich, jaren geleden al, in mijn hoofd en borst heeft genesteld. De pijn, die ik mijn ouders vanavond en morgen eindelijk betaald zal zetten.

Mijn ouders ...

Wat kan ik over hen vertellen?

Ze zijn slim, suf en gehaast. Altijd gehaast.

Ken je dat konijn uit *Alice in Wonderland*? Je weet wel, dat vervelend beest dat de hele tijd uitroept: ‘O wee, o wee, ik kom te laat!’

Wel, daar heb je mijn vader: compleet met scheefgezakt brilletje en uurwerk. Alleen roept mijn vader altijd: ‘O nee, o nee, ik kom te laat!’

Mijn moeder is al even erg. Of erger. Ze beweert dat ik tien dagen te laat geboren ben. Ik weet zeker dat ze tien dagen lang geen tijd had om te bevallen van mij. Het paste vast niet in haar agenda. Of misschien was ze gewoon vergeten dat ze zwanger was.

Ik vraag me af hoe lang het zal
duren voor ze het doorhebben?
Hoe snel zullen ze merken dat
ik er niet ben?

8.

Ik ben gewend om voor mezelf te zorgen. Al van kleins af aan. Echt, ik overdrijf niet. Ik was net geen acht toen ik mijn eerste huissleutel kreeg. Was ik niet zo'n tenger ding geweest, dan had ik die vast nog eerder gekregen. Voordien was ik niet sterk genoeg om het veiligheidsslot van de voordeur open te draaien. Elke week op vrijdagavond mocht ik het proberen. Een maand voor mijn achtste verjaardag was het zover.

'Klik,' deed het slot, en de voordeur draaide open. Het was gelukt!

Ik sprong een gat in de lucht. Mijn ouders sprongen verrast met me mee. Ze klopten me uitbundig op de schouder. Ze lachten en slaakten opgewonden gilletjes. Hun ogen schitterden, en ik zag mezelf in hun pupillen weerspiegeld. Ik dacht dat ze trots op me waren. Ondertussen weet ik wel beter.

Ze waren opgelucht.

Gedaan met de opvangproblemen. Voortaan kon dochterlief alleen naar huis ... !

Ik weet nog hoe stoer en groot ik me toen voelde.

Niemand in mijn klas had een eigen sleutel. Niemand in mijn klas ging helemaal alleen naar huis. Ze werden allemaal opgehaald. Elke dag opnieuw. Ik keek op hen neer. Kleuters waren het.
Ik wandelde elke dag alleen naar huis. *Ik* koos zelf welke weg ik nam. Soms kreeg ik van mijn ouders wat geld voor snoep in het buurtwinkeltje. 'Omdat je het zo goed doet.'
Boetegeld, weet ik nu. Ze stilden er hun schuldgevoelens mee. En ik? Ik had het gevoel dat de wereld aan mijn voeten lag. Ik was vrij. Maar vrijheid klinkt leuker dan het is ...

9.

Trots hing ik de sleutel aan een fluogeel koord. De sleutel zelf zat veilig onder mijn trui, maar het koordje om mijn hals was altijd zichtbaar. Het was mijn statussymbool. Iedereen in de klas keek naar me op. Ze wilden weten hoe het was. Wat ik allemaal deed thuis, zonder ouders die me in de gaten hielden?
Ik fantaseerde erop los. Vertelde dat ik bergen snoep at en liters cola dronk, tot ik er misselijk van werd. Ik schepte op over de tekenfilms die ik keek, en loog over de grote zak chips op mijn schoot. Elke avond een nieuwe smaak, maakte ik hun wijs. Niemand die twijfelde aan mijn wilde verhalen over hoe ik danste op de keukentafel, op een slee van de trap naar beneden gleed, en in het donker op het dak klom om sterren te kijken. Ze geloofden het allemaal.
Nooit vertelde ik hoe eenzaam mijn stappen in de gang galmden. Ik zweeg in alle talen over de talrijke briefjes met *Zal wat later zijn, kus tot straks*, die ik op de keukentafel vond. Over hoe bang ik

was, elke avond wanneer het donker werd. Ik vertelde niet dat ik, telkens wanneer de schaduwen langer werden, met bonzend hart luisterde naar een oud huis dat krakend en kreunend tot leven kwam. Dat was mijn geheim.
Het was heerlijk zonder ouders, loog ik.
Ik genoot van de aandacht.
Aandacht die ik thuis niet kreeg.

10.

Met de zaklamp tussen mijn tanden pruts ik het touwtje om het kampeermatje los. Ik rol het open en ga erop zitten.
Boven hoor ik Annabelle bezig.
Ze verschuift stoelen, rolt een tapijt op en sleept de stofzuiger ruw achter zich aan. Het logge ding botst tegen kasten en tafelpoten.
Zou zij ook nijdig zijn? Kwaad om de ondankbare job die ze kreeg in ons huis? Om het zware werk waarvan niemand haar ooit vertelt hoe goed ze het wel doet? De briefjes die ze op tafel vindt: *Annabelle, graag wc's en badkamer grondig poetsen vandaag.* Of: *Annabelle, vandaag de mand strijk afwerken.* Maar nooit eens: *Annabelle, dank je wel, het was heerlijk thuiskomen in een kraaknet huis.*
Ik vraag me af hoe ze eruitziet?
Ze komt wanneer ik op school zit, en voor ik thuis ben, is ze alweer vertrokken. Ze wil haar kinderen op tijd ophalen van school.
Ik schijn met mijn zaklamp op mijn horloge. Bijna vijf uur zit ik hier al. Nog een kwartiertje en de

school gaat uit. Het geluid van de stofzuiger sterft weg. Het tapijt wordt terug op zijn plaats gelegd en de stoelen worden teruggezet.
Annabelle zal op tijd aan de schoolpoort staan.
Soms wenste ik dat ik haar dochter was ...

11.

'Aafke!'
Mama's stem wurmt zich moeizaam door de sluiers van mijn slaap.
Aafke ... Papa beweerde ooit lachend dat ze mij zo hadden genoemd omdat ze glad vergeten waren een naam voor hun kind te kiezen. Aafke was toevallig de eerste naam op de lijst met meisjesnamen geweest.
Ik heb het achteraf gecontroleerd.
Papa had niet gelogen, na Aafke kwam Abby.
'Aafke, ik ben thuis!' galmt mijn moeders stem opnieuw. Ze roept het op een verraste toon. Alsof ze het zelf nu pas heeft vastgesteld. Nooit klinkt het als een uitnodiging om erbij te komen, en gezellig wat te kletsen. Daarvoor is ze te moe. Mijn ouders willen 's avonds vooral rust. Geen gekwebbel aan hun hoofd.
Ik zal Jarkko Oikarinen eeuwig dankbaar blijven omdat hij het chatten uitvond. Al word ik vaak kregel wanneer er midden in een gesprek weer eens *brb* of *bbl* op mijn scherm verschijnt. Oké, ik geef

het toe: *be right back* durf ik zelf ook te gebruiken. Elk normaal mens moet af en toe eens naar de wc. Maar op een *be back later* zul je mij nooit betrappen. Niemand die me ooit naar beneden roept. We eten nooit warm 's avonds. Te veel gedoe met potten en pannen, vindt mijn moeder. Je haar en kleren ruiken een uur later nog naar bloemkool of gebraden worst. Trouwens, waarom zou je zelf koken als er op je werk en op school een restaurant of refter is? Dus smeren we gewoon een boterham als we honger hebben en eten die op voor de tv of bij de computer. Niemand die trouwens ooit klaagt dat ik te lang achter de computer zit. Soms vraag ik me af of ze nog weten hoe ik eruitzie.

12.

Zuchtend rol ik mijn hoofd heen en weer en masseer de pijnlijke spieren in mijn nek.
Ik moet in slaap zijn gevallen van pure verveling. Gelukkig hoef ik hier maar één nachtje door te brengen. Dat moet genoeg zijn.
Morgen is het mijn verjaardag. Maar ik zal er niet zijn om de pakjes open te maken.
Ik heb me in jaren niet zo verheugd op mijn feest. Het feest waarop voor een keer niet mijn moeder of vader, maar ik zélfzélf de grote afwezige zal zijn. Hoe zullen ze reageren? Zullen ze in paniek rond gaan bellen? Elkaar met gloeiende verwijten om de oren slaan? Of zullen ze elkaar snikkend in de armen vallen, verenigd in hun angst en verdriet om mij: hun vermiste dochter? Zullen ze spijt voelen? Als er iets is wat ik wil, dan is het dat wel: dat ze spijt voelen om al die verloren tijd. Om al die weken, dagen, uren dat ze er niet waren. Om de verjaardagsfeestjes die ze elk om beurten misten, de sportwedstrijden en de schoolopvoeringen waar ze niet bij konden zijn, om al die jaren waarin ik avond

na avond helemaal alleen in ons veel te grote huis ronddoolde. Spijt om elke keer dat ik vurig hoopte dat ze wat vroeger thuis zouden komen. Om al die keren dat ze het wel beloofden, maar niet deden. Om al die keren dat ik hoopte voor één keer eerst te komen: vóór het werk en de borrel met de collega's.
Misschien zweren ze morgen wel dat ze het in de toekomst anders zullen aanpakken? Mensen in nood doen gekke dingen.
'Nee Aafke,' spreek ik mezelf streng toe. 'Niet op rekenen.'
Ik moet met beide voeten op de grond blijven, en niet te veel verwachten. Anders is de teleurstelling straks weer veel te groot.
Boven mijn hoofd tikken mijn moeders spitse hakken zich een weg naar de keuken. Van daar gaat het naar de woonkamer. Even blijft het stil. Dan hoor ik een zachte bons. En nog een. Nu zit ze op de bank, weet ik, en ze heeft haar schoenen uitgeschopt. Ik stel me voor hoe mijn moeder achterovergeleund in de kussens ligt. Haar voeten omhoog op een berg kussens, een koel glas wijn in de hand om te ontspannen.

Straks komt mijn vader thuis. Dan gaat hij bij haar zitten. Ze zijn er allebei zeker van dat ik thuis ben en dat ze me moederziel alleen op mijn kamer zullen vinden, met de computer als gezelschap. Net als altijd.
Maar vandaag is geen dag als altijd.

13.

De wijzers van mijn horloge gaan tergend langzaam rond.
Gespannen houd ik de adem in. Wanneer zullen ze eindelijk ontdekken dat ik er niet ben? Ik weet dat ik geduldig moet zijn. Iedere andere moeder zou haar kind al missen rond etenstijd. Maar in dit huis wordt nooit gekookt. Bovendien zijn mijn ouders rond etenstijd nog lang niet thuis. Zeker niet op vrijdag.
Negen uur is het nu. Ze zijn zich allebei nog van geen kwaad bewust. Dat kan best nog een tijdje duren.
Als kleuter was ik ooit een heel uur vermist, en op de koop toe bijna verdronken. Het was mijn moeder niet eens opgevallen dat ik weg was.
Ik herinner me nog elke minuut van dat uur.
We waren in een winkelcentrum. Er was een fontein met oranje visjes.
Naast die fontein hing een automaat met korreltjes. Ik mocht de vissen nooit voeren. Dat was tijdverspilling en bovendien pure afzetterij, beweerde mijn

moeder. Ze dribbelde in ijltempo winkel in en winkel uit, op zoek naar ik-weet-niet-wat, en sleurde me met zich mee alsof ik een koffertje op wieltjes was.
'Mama, niet zo snel!' klaagde ik.
Heel even keek ze me schuldbewust aan.
Toen ontdekte ze haar vriendinnen.
'Kristien! Pauline! Joehoe!' zwaaide ze uitgelaten en haar hand loste die van mij.
Al snel was ze me compleet vergeten. Ze keurde Kristiens aankopen, roddelde over de knappe verkoper, en merkte niet hoe ik stilletjes naar het fonteintje glipte.
Eerst hing ik gewoon over de rand. Ik maakte kringetjes in het water en wachtte tot de visjes aan de top van mijn vinger kwamen zuigen. Daar was ik een hele tijd mee zoet.
Tot ik het muntje zag liggen. Het glom als was het van goud. Daar kon ik vast heel wat korrels voor kopen! Ik strekte mijn arm om het te pakken. En plots lag ik in de fontein. Happend naar lucht. Het leek of ik vanbinnen geplet werd onder de druk van al dat water. Ademloos zakte ik steeds dieper weg. Net voor alles zwart werd, greep een hand me bij de kraag.

Mama! dacht ik opgelucht. Mijn mama is me komen redden! Ondanks het koude water werd ik helemaal warm vanbinnen.
Natuurlijk was het mijn moeder niet. Die kwam pas een half uur later. Nadat ik al weer wat bij mijn positieven was en net genoeg stem had om mijn naam te fluisteren.
Pas toen de meneer van de EHBO-post me had omgeroepen, kwam mama op hoge poten aangelopen.
'Sorry! Het spijt me! Ik had niet eens door dat ze weg was,' riep ze verontschuldigend vanuit het deurgat.
Het voelde of ze met een vuistslag alle lucht opnieuw uit mijn longen sloeg.
Trillend sloot ik mijn ogen.
'Rust nog maar, meisje,' fluisterde de verpleger. 'Zoiets gaat je niet in je koude kleren zitten.'
Hij wist niet half hoe waar dat was.

14.

Het is middernacht. Boven mijn hoofd klinkt gestommel.
Ik hoor mijn vaders stem. Hij rommelt wat in de keuken. Hij dekt de tafel voor het ontbijt. Altijd op dezelfde manier: een ontbijtkommetje en soeplepel voor zijn muesli, een bordje en koffielepel voor mama's yoghurt en voor mij een plankje met mes. Ik ben de enige in ons huis die gewoon brood eet.
Mijn vader wandelt de gang in en sluit de veiligheidssloten van de voordeur.
Dan zwaait de kelderdeur open.
Het tl-licht flikkert en doet plots de hele ruimte in wit licht baden.
De keldertrap kreunt en kraakt onder mijn vaders gewicht.
Geschrokken houd ik mijn adem in en klik vlug mijn zaklamp uit.
Mijn hart bonst wild. Ik heb het gevoel alsof de hele kelder meedreunt en -galmt op het ritme ervan.
'Kalm,' spreek ik mezelf toe. 'Verpest het nu niet.'

Geeuwend sloft mijn vader naar de kast. Hij schuift met dozen en conserven en komt gevaarlijk dicht in mijn buurt.
'Miljaar!' vloekt hij. 'De melk is op. Het is weer hetzelfde liedje.'
Mopperend sjokt hij de trap weer op. Kwaad omdat hij morgen geen muesli kan eten. Met een klap op de schakelaar mept hij het tl-licht weer uit.
De duisternis valt als een inmiddels vertrouwde mantel over me heen.
Mijn vader heeft me niet ontdekt. Ik lijk dan ook helemaal niet op een pak melk.

Stemmen in de gang. Mijn ouders maken zich klaar om naar bed te gaan.
De vijfde plank voor de trap piept.
Piept dan nog een keer.
De voetstappen van mijn ouders klinken dof op de trap.
Ik spits mijn oren, concentreer me op de geluiden.
Zal het nu gebeuren?
Zullen ze eindelijk mijn kamerdeur openen en mijn bed onbeslapen vinden?
Ik heb mijn dekens slordig op de grond gegooid, voor de zekerheid. Daar kunnen ze niet naast kijken.
Vol verwachting houd ik mijn adem in.
Ik wil hun stappen horen wanneer ze in paniek terug de trap afdonderen. Ik wil ze horen rondrennen als kippen zonder kop. De deuren in huis horen open- en dichtslaan, wanneer ze op zoek gaan naar mij. Hun beverige stem wanneer ze de politie bellen. Chaos, dat wil ik.
Dat ze snikken en schreeuwen dat ze me missen.

Dat ze een nacht en een dag in pure onversneden angst leven om mij. Ik wil ze tegen de agenten horen zeggen dat ik het enige op de hele wereld ben waar ze echt om geven. Dat ze alles zouden opgeven om mij terug te krijgen. Ik wil horen dat ze van me houden.
Ik wil gemist worden!
Ik hoor alleen maar hoe het water door de leidingen suist.
De geiser slaat aan, sist en bromt. Slaat dan weer af.
Lichtschakelaars klikken.
Vier korte piepjes: het alarm wordt ingeschakeld.
Dan is het stil.
Het slepen van mijn kamerdeur heb ik niet gehoord. Geen kreet van ontzetting. Geen geschreeuw of paniek. Geen politiewagens met gillende sirenes.
Niemand ging mijn kamer binnen om me welterusten te wensen. Om me liefdevol toe te dekken, en me nog een aai over mijn bol te geven.
Ik kan het bijna niet geloven.
Ik kon wel dood in bed liggen, ze zouden het niet eens weten.

Een golf van verdriet slaat me lam en beneemt me de adem.
'Niet huilen,' spreek ik mezelf toe. 'Denk aan morgen. Niet huilen!'
Maar ik kan het niet helpen. Mijn hele lichaam schokt. Snikkend trek ik de deken over me heen.
Ik wist niet dat tranen zo heet konden zijn.
Voor de tweede keer in mijn leven word ik vermist zonder dat mijn ouders het doorhebben ...
Vannacht gaat niemand naar mij op zoek.

16.

Het is iets na vieren, maar nog steeds kan ik de slaap niet vatten. Mijn hol is veel te klein, ik kan mijn benen niet strekken. Mijn spieren zijn verkrampt en het lijkt de hele tijd of er duizenden spelden in mijn voeten prikken. Bovendien voel ik elke oneffenheid van de keldervloer waarop ik lig, door het kampeermatje heen. Ik heb barstende hoofdpijn gekregen van al het huilen en de muffe lucht in de kelder. Maar ik kan niet naar boven gaan om een aspirine. Het alarm zou de hele buurt wekken, inclusief mijn ouders. Dan is mijn hele plan om zeep. Dat mag niet gebeuren. Ik heb het nu al zo lang volgehouden! Gelukkig heb ik wel aan een nachtemmer gedacht. Stel je voor dat ik mijn plas dertig uur lang moest ophouden!
Ik klik mijn zaklamp aan en graai in de zak met proviand. Krijg je van chocolade nog meer hoofdpijn, of net minder?
Ach, wat doet het ertoe? Alles doet al pijn. Dan kan ik maar beter genieten van de warme, volle smaak van cacao. Troosteten, noemen ze dat toch? Dat

kan ik nu wel gebruiken! Het is bovendien een goed excuus om straks nog een reep soldaat te maken. Ik grijns. Als je tranen op zijn, kun je maar beter lachen.

Bijna vijf uur, en ik ben nog steeds klaarwakker. Ik trek mijn lievelingsboek uit de rugzak en leg het op mijn knieën. Daar blijft het gesloten liggen. Ik hoef het niet te openen. De mooiste passage ken ik uit het hoofd.

... Toch was hij gelukkig, want hij had de liefste moeder van de wereld.
Als hij verdriet had, nam ze hem troostend op schoot en als de storm om het huisje gierde, zong ze hem in slaap met haar zachte, lieve stem. In de winter hield ze zijn koude voeten net zo lang in haar handen, tot ze lekker warm waren en nooit ging Remi slapen zonder nachtzoen van moeder Barberin ...

Mijn vingers glijden over de titel: *Alleen op de wereld.* Toen Hector Malot het boek schreef, was ik nog niet geboren. Anders had hij wel over mij geschreven. Die Remi had zich acht jaar lang gekoesterd en geliefd geweten, ook al was hij maar een vondeling. Zijn moeder deed alles voor hem. Ze spaarde zelfs het eten uit haar mond zodat hij geen honger zou lijden. Hij was haar hele wereld. Ze waren gelukkig samen. Toen hij door die schobbejak van een stiefvader werd verkocht, kreeg hij meester Vitalis en zijn hond Capi in de plaats en die gingen voor hem door het vuur. Niks alleen op de wereld. Ondanks alle tegenslagen was Remi een gelukzak!

... nooit ging Remi slapen zonder nachtzoen van moeder Barberin.

Ik snuit mijn neus en wrijf opnieuw de tranen uit mijn ogen.
Misschien moet ik mijn ouders dat boek maar eens laten lezen.

18.

Ik sta in het midden van een overvolle zaal. Er is een grote spot op me gericht en voor mijn neus staat een microfoon. Ik kijk de zaal rond. Langs drie van de vier muren staat een tribune propvol bekenden die elkaar aanstoten en naar me wijzen. Alle ogen zijn op mij gericht. En op mijn ouders, die schichtig om zich heen kijken.
'Weet je zeker dat je dit wilt?' dreunt een zware stem.
Het duurt even voor ik doorheb dat hij het tegen mij heeft.
Ik knik.
'Ja, ik weet het heel zeker. Ik heb er lang en diep over nagedacht. Er is echt niets wat ons nog bindt. We eten nooit samen, we trekken er zelden als gezin op uit, we hebben geen gezamenlijke hobby's en weten amper wat er in de ander omgaat. Naast een handvol foto's waar we eerder toevallig samen op staan, en het huis waar we alle drie ons bed hebben staan, delen we niks. In de meeste van mijn herinneringen komen mijn ouders zelfs niet voor.'

De rechter hoort het schijnbaar onbewogen aan. Dan richt hij zich tot mijn vader en moeder.
'Mevrouw, meneer, wat heeft u daar nog aan toe te voegen?'
Mijn vader wipt zenuwachtig op en neer. De vraag van de rechter lijkt hem te overvallen.
'Als dat is wat ze echt wil,' stamelt hij.
Mijn moeder is verontwaardigd, en dat laat ze horen.
'Ik heb mijn best gedaan, meneer de rechter. Aafke heeft alles wat haar hartje begeert: het meest recente model tablet en laptop, een iPhone, dure kleren, noem maar op. Ze hoeft maar te kikken en het ligt al voor haar klaar. Er zijn een pak kinderen die het met veel minder moeten doen. Ik snap niet hoe ze zo ondankbaar kan zijn.'
Ze meent wat ze zegt. Ik zie het aan het felle licht in haar ogen en de hoekige bewegingen van haar armen. Ze begrijpt niet waarom ik dit doorzet. Ze denkt echt dat al die dingen belangrijk voor me zijn. Natuurlijk vindt ze me een ondankbaar wicht. Wat ik ook doe of zeg, ze zal het nooit snappen. Arme mama.
De rechter klapt zijn dossier dicht en zet zijn bril af.

Het geroezemoes in de zaal sterft weg.
Iedereen in de zaal wil horen wat hij heeft besloten.
Gewichtig schraapt hij de keel.
'Dan verklaar ik jullie, Aafke Huys en de heer en mevrouw Richard en Rosemarie Huys, vanaf vandaag officieel gescheiden van tafel en bed. U kunt beschikken.'
Vertel eens iets nieuws, denk ik wrang, maar ik hou mijn mond.
De rechter bevestigt zijn vonnis met een dreun van de hamer.
Het lijkt wel of de hele rechtszaal davert op zijn grondvesten.

Geschrokken schiet ik wakker.
Het duurt even voor ik doorheb dat ik het allemaal heb gedroomd.
Boven hoor ik mama's stem:
'Richard, kan het alsjeblieft wat stiller met die deur?!'

1000 800 700 600 550
M

19.

Elf uur in de ochtend is het nu al. Boven hoor ik mijn ouders met meubels slepen.
De vloerplanken trillen en kraken. Uit de spleten valt een wolkje stof als fijn stuifsneeuw over me heen. Het kriebelt vreselijk. Wanneer ik mijn neus zachtjes snuit, ziet mijn zakdoek grijs.
Je zou toch wel denken dat ze wat anders te doen hebben nu hun dochter verdwenen is?
Ik snap het niet. Echt waar, ik kan er geen touw aan vastknopen.
Ik hoor mijn moeder lachen. Een lach vol belletjes en bubbels.
Ik zit hier te verkommeren in een muffe kelder, en zij heeft plezier ...
Hoe durft ze!
Mijn vader zegt iets, maar ik kan de woorden niet onderscheiden. Ik hoor alleen het zachte brommen van zijn stem.
Mijn moeder vindt wat hij zegt blijkbaar heel erg grappig. De belletjes en bubbels worden plots trompetten. Muzieknoten buitelen vrolijk door het huis

de kelder in.
Boven mijn hoofd kraakt de houten vloer.
Mijn moeders hakken slepen en tikken.
Ze danst!
Mijn mond valt open.
Vingergeknip. Voetengestamp.
Mijn vader danst met haar mee!
Alsof er geen vuiltje aan de lucht is. Alsof ik helemaal niet verdwenen ben!

Boven me blijft het feestje duren.
Ik heb zin om uit mijn schuilplaats te stuiven, de keldertrap op te stampen en mijn ouders door elkaar te schudden, zo hard dat ze er allebei een hersenschudding aan overhouden!
Hoe kunnen ze nog niet weten dat ik weg ben? Dit is nota bene de dag van mijn verjaardag! Het is bijna middag! Ze moeten het ondertussen toch al hebben gemerkt. Het huis zou vol mensen moeten zijn. Agenten met ernstige gezichten die verklaringen opnemen en mijn kamer doorzoeken, en nieuwsgierige buren die hun hulp komen aanbieden. Aasgieren van reporters die een interview komen afnemen, of nog beter: een emotionele oproep filmen! Regieassistenten die mijn ouders voor inderhaast neergepote, televisiecamera's plaatsen. Waarin ze dan met bleke gezichten, betraande ogen en een krop in de keel de hemel aan mij beloven. Dat ze me missen. Dat ze hun fouten uit het verleden recht zullen zetten. 'Kom naar huis,' moeten ze huilen. 'We missen je!'

Maar er is nog niets van dat alles gebeurd. Je zou bijna denken dat ze iets te vieren hebben.
Dat is het! besef ik in een flits en het lijkt of ik word getroffen door de bliksem. Mijn hart gaat in vrije val.
Ze zijn gewoon blij. Geweldig opgelucht. Al die jaren was ik een last voor hen. Iets om altijd rekening mee te houden.
Maar nu ben ik weg.
Ze missen me helemaal niet.

21.

In elk boek zou de heldin nu witheet van woede worden. Niet groen van ellende zoals ik. De heldin zou inwendig kolken en koken. Als een vulkaan vol lava onder druk, klaar om uit te barsten. Om de wereld te doen daveren en iedereen in haar buurt te overspoelen met haar boosheid. Ze zou woest om zich heen slaan, of net ijzig kalm blijven, en in stilte haar wraak voorbereiden. Haar woede zou haar in elk geval kracht geven. Ze zou zich boven de pijn zetten, die als een roestig mes haar ingewanden open lijkt te scheuren. Ze zou zich schrap zetten met maar één doel voor ogen: wie haar ooit kwaad deed, zou boeten! Zij zou niet bij de pakken blijven zitten. Dat doen heldinnen niet. En ze rollen zich ook niet op in een meelijwekkend bolletje snikkende ellende.
Ik ben geen heldin. Ik ben gewoon Aafke. In mijn buik kolkt geen lava. Ik voel geen hete woede. Ik voel me miserabel. Futloos. Verlaten.
Het lijkt wel of alle energie in een keer uit mij is weggestroomd.

Ik lig trillend op mijn matje, trek het fleece dekentje over mijn hoofd en probeer te vergeten dat ik besta.

Ik heb geen idee hoe laat het is. Ik vermoed dat ik heb geslapen, maar zeker weet ik het niet. Ik lig nog altijd op mijn matje als plots de hele kelder lijkt te trillen.
Een bestelwagen stopt voor de deur. Een portier klapt dicht. Een schuifdeur gaat open en wordt hardhandig weer dichtgegooid.
Voetstappen slepen over de drempel. Iemand belt aan.
Als een sprinter rikketikt mijn moeder op hoge hakken door de gang.
'Dank je wel, die komt net op tijd. Ik verwacht haar elk moment!'
Ze klinkt blij als een kind.
'Richard!' gilt ze opgewonden. 'Kom je kijken?! Oh, is-ie niet schattig? Die oortjes. En dat neusje! Ach, wat lief.'
'Hij is inderdaad om op te vreten,' bromt mijn vader instemmend.
'Jij valt hier met je neus in de boter, klein mormel!'
Als door een bij gestoken, ga ik rechtop zitten.

Oortjes? Neusje? Om op te vreten? Klein mormel? Veel tijd om na te denken heb ik niet. Mijn moeder duwt resoluut de kelderdeur open.
‘Vlug, verstop de puppy in de kelder. Straks zijn ze hier. Ik haal wat water en korrels.’
Een hondje?
‘Het is maar voor even, hoor,’ fluistert mijn vader met zijn liefste stem.
‘Straks komen we je halen, en dan hoef je hier nooit meer te komen.’
Zo klonk hij vroeger ook, herinner ik me plots. Toen hij nog dicht bij huis werkte, en tijd had om me elke avond voor te lezen.
‘Je zult haar gelukkig maken, en zij jou. Wees daar maar zeker van. Ze is zorgzaam en heel lief. Ze verzint vast een hele mooie naam voor je.’
Mijn mond valt open. Mijn moeder zorgzaam? Ik duw mijn vuist in mijn mond om niet hardop te lachen. Hoe verzint hij het!
‘Nu mooi blijven zitten,’ sust mijn vader. ‘Niet huilen, hoor, het is echt maar voor even. Ik laat het licht voor je aan. Goed?’
Ik slik, en stel me voor hoe mijn vader nu over het hondje gebogen zit en teder zijn rugje streelt. Net

zoals hij bij mij deed toen ik nog klein was en niet kon slapen. Met zijn bromstem praatte hij me geduldig in slaap.

Ik wil om het hoekje gluren, maar het felle licht van het tl-licht verblindt mijn ogen.

Dan hoor ik hoe mijn moeder de trap afstommelt. Net op tijd trek ik mijn hoofd weer weg.

'Oh help,' giechelt ze. 'Deze hakken zijn echt niet gemaakt voor smalle keldertrapjes.'

Ze zet een kommetje water en wat korrels bij het hondje neer. Ik hoor zijn pootjes scharrelen op de bodem van de doos.

Het hondje piept. Het is bang.
'Ssst,' sust mijn moeder. 'Je hoeft hier niet lang te blijven. Heel even maar. Tot Aafke komt.'
Tot Aafke komt?!
Voor de tweede keer die ochtend valt mijn mond open.
Hoe komt ze erbij dat ik straks kom?
Waar denkt ze dan dat ik nu ben?
Ik begrijp er niks meer van.
'Koe-tsjie, koe-tsjie, koe-tsjie,' brabbelt ze, met een belachelijk hoog stemmetje. 'Het komt allemaal in orde, hoor. Straks komt je bazinnetje. Oh, ik verheug me zo om Aafkes gezicht te zien. Jullie zullen vast dikke maatjes worden! Jij bent de eregast op haar feest! Ik hoop dat je niet bang bent voor ballonnen. Ik heb me een beetje uitgeleefd, vrees ik. Ach, weet je, je dochter is ook niet elke dag jarig. We zien elkaar veel te weinig. En het is zo'n prachtkind. Jaaah, jouw baasje is zoooo lief,' spreekt ze tegen het hondje alsof het een baby is.
Maar het maakt niet uit hoe ze spreekt.

Mijn hart zwelt als een ballon.
Een prachtkind, noemt ze me.
Mijn moeder vindt me lief!

'Als Annabelle straks maar op tijd is,' zucht mijn vader. 'Dat beestje is doodsbang. Hoe laat had je eigenlijk afgesproken dat ze Aafke zou brengen?'
'Ik? Jij zou met Annabelle afspreken!'
Mijn moeder klinkt ontzet.
'Ik? Nee hoor,' ontkent mijn vader. 'Ik weet nergens van. Ik dacht dat jij ...? Ik dacht ...'
Zijn stem klinkt twijfelend. Je kunt bijna horen hoe hij zijn geheugen afgraaft. Op zoek naar het moment waarop die afspraak werd gemaakt.
'Ik heb Annabelle niet ...'
'Zeg dat het niet waar is!'
Mijn moeders rauwe kreet doet mijn bloed stollen.
'Waar is Aafke dan?!'
'Ik ... ik dacht ... jij ... heb jij dan niet?'
Mijn vaders stem blijft haperend hangen.
Het wordt ijzig stil in de kelder. Geen van beiden zegt nog een woord.
Ik hoor mijn moeder zwaar ademen.
'Boven,' hijgt ze dan, 'misschien is ze gewoon boven.'
Ze gooit haar schoenen op de grond en vliegt de

trap op. 'Jij belt naar Annabelle!' bijt ze mijn vader vanuit het deurgat toe.
Die heeft nog steeds geen voet verzet.
'Richard! Nu!'
'Ik kom,' stamelt hij. 'Het spijt me. Ik dacht echt dat jij ...'
Zo vlug hij kan, rent hij de trap op.
Boven hoor ik mijn moeder met deuren slaan.
Ze dondert de trap op. En dan weer af. Gilt in paniek mijn naam.
Mijn vader probeert Annabelles nummer in te toetsen.
Drie keer op rij kwakt hij de hoorn terug op het toestel. De vierde keer lukt het hem.
'Annabelle!' roept hij opgelucht uit. 'Is Aafke bij jou?' Stilte. 'Nee?' Ik hoor de paniek in zijn stem. 'Ik weet het niet! Ze is weg!' Onvervalste en redeloze paniek.

Mijn moeder rent nog steeds rond als een kip zonder kop.
'Als er iets met haar is gebeurd,' snikt ze. 'Als er ook maar één haartje op haar hoofd ...' Haar stem breekt.
'Het komt goed,' prevelt mijn vader. 'Het is een slimme meid. Ze is vast bij een vriendin.' Twijfel hangt tussen zijn woorden. Mij bedot hij niet.
Mijn moeder snikt.
Mijn vader loopt naar haar toe. Zijn voetstappen stoppen net boven mijn hoofd.
Pas na een tijdje hoor ik zijn stem. Ik moet mijn best doen om de breekbare woorden op te pikken.
'Het moet anders als Aafke straks terug ... Ik bedoel, ik hoop dat ze niet ... ' Hij maakt zijn zin niet af.
Mijn moeder snikt nog steeds.
Dan schalt de ringtoon van mijn moeders mobiel door de kamer.
Gestommel en gebonk. Mijn ouders lopen elkaar builen om het eerst bij het toestel te zijn.

'Hallo?' Mijn moeder klinkt buiten adem.
'Is het Aafke?' hoopt mijn vader.
Ik schud mijn hoofd. Er is maar één iemand die mijn moeder op de meest onmogelijke uren op haar mobiel belt. En mijn moeder springt altijd meteen in de houding. Echt altijd.
Mijn hart zinkt in mijn schoenen. Het ging net zo goed. Ik bijt op mijn hand. Dit is het moment van de waarheid. Zal mijn moeder overschakelen op zakenvrouwmodus? Worden de zorgen om haar dochter geparkeerd, zoals altijd?

26.

Mijn moeder gilt. Nee, ze brult.
‘Los het zelf op! Of bel een andere gek, maar houd deze lijn vrij!’
Ik geloof mijn oren niet.
Ook mijn vader is geschokt.
‘Was dat ... jouw ... baas?’
Ik wilde dat ik nu zijn gezicht kon zien. Als hij er net zo bijzit als ik, dan lijken we allebei op een breedbekkikker waarbij de ogen bijna uit de kassen rollen.
Mijn moeder gromt.
‘Hij kan opvliegen met zijn deadlines. Ik wil Aafke. Nu.’
Een stoel schuift weg.
‘Richard, haal Aafkes laptop. Ik wil zien met wie ze het laatst heeft gemaild of gechat. Ik maak alvast een lijstje met de telefoonnummers van haar vriendinnen. Kijk ook eens rond in haar kamer. Misschien vind je een briefje of een andere aanwijzing. Ik zal ondertussen de familie bellen. Het feestje wordt tot nader order uitgesteld.’

Mijn moeder heeft haar tranen ingeslikt. De zakenvrouw is aan het woord. Maar deze keer ben ik haar belangrijke project.
Mijn hart maakt een sprongetje.
Dít is het moment.
'Eindelijk!' zucht ik opgelucht.
Het is niet de eerste keer dat ik hen zal vragen om er voor me te zijn.
Maar NU zullen ze naar me luisteren, dat weet ik wel zeker.
Stram klauter ik uit mijn schuilplaats.
Ik ga voor de doos zitten en aai het hondje.
'Hé Remi,' fluister ik. 'Ga je mee naar boven?'

CIP-gegevens Koninklijke Bibliotheek Albert I

© TEKST
Inge Bergh

© BEELDEN
Istock Images

VORMGEVING
Leen Depooter – quod. voor de vorm.

DRUK
Gedrukt in de Europese Unie
door Konin Printing House

Vlasstraat 17, B-8710 Wielsbeke

D/2015/6048/23 | NUR 283 | ISBN 978-94-6291-011-9

www.eenhoorn.be

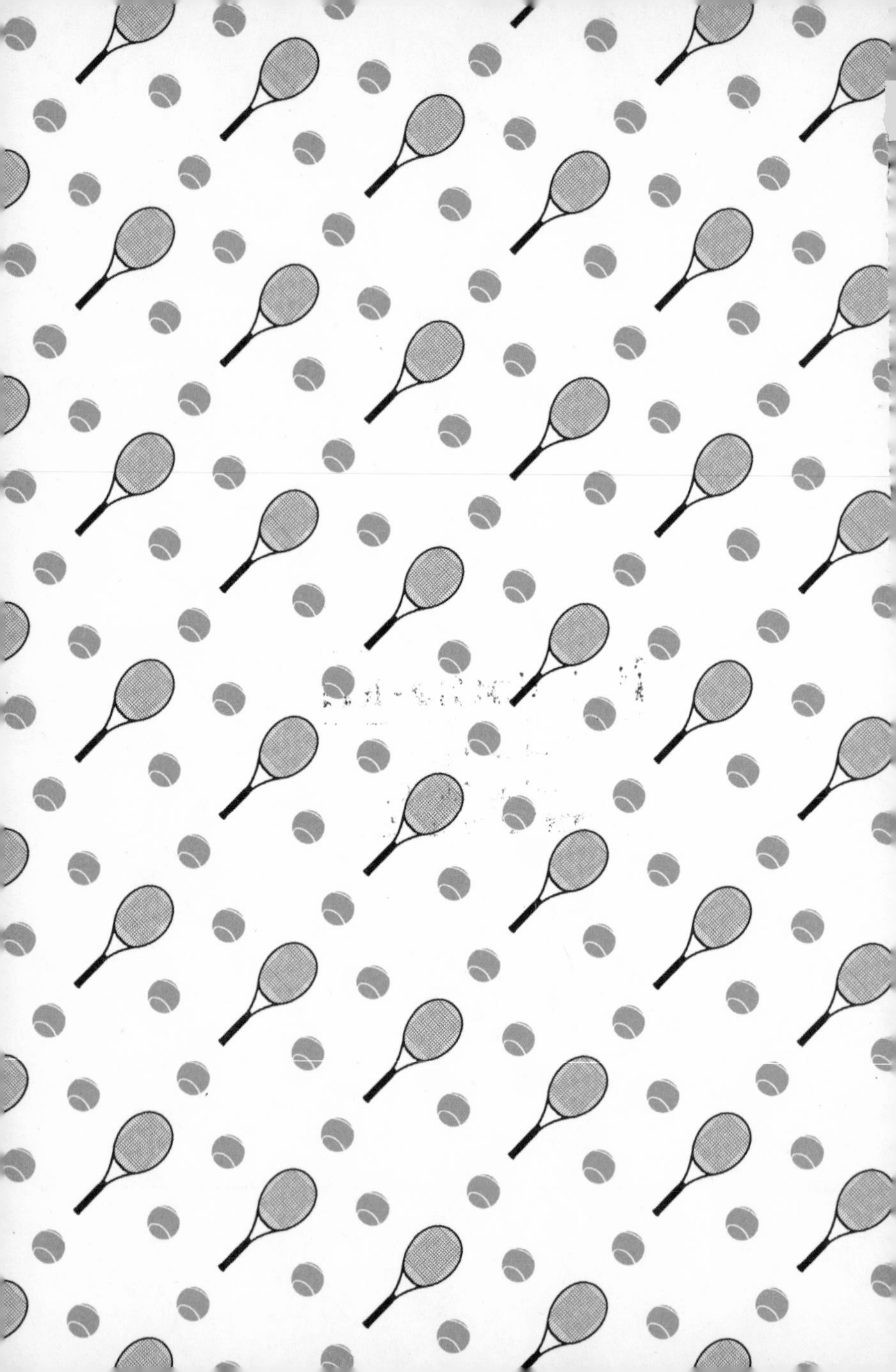